"새들의 아름다운 세계를 탐험하는
컬러링 북을 소개합니다!

여러분들은 오늘 하루, 어떤 새와 마주치셨나요?
'쯔빗 쯔빗 쯔쯔빗'하며 지저귀는 새소리가 들린다면 숲길에 들어선 것이고
'삐- 비 삐~~비'하며 재잘거리는 소리가 몰려온다면
갈대밭을 서성이고 있을 것입니다.

새 소리가 숲의 풍성함을 더하는 산책길은 즐겁습니다.
잠시라도 그들의 움직임이나 눈동자와 마주친다면 즐거움이 배가 될 것입니다.

깃털달린 날개를 펼치고 자유로이 공간을 넘나들며, 번식과 월동을 위해
짧게는 산 밑에서 위로, 멀게는 남극과 북극을 오가며 살아가는 존재.

새.

이 컬러링 북은 지구에서 살아가는 새들의 아름다움을 표현하고자 했습니다.
깃털의 부드러움과 화려함 뿐 아니라, 색다른 부리 모양으로도 새들의 다양성을
담아내고자 했습니다. 다소 과장되고 비현실적인 부분들도 있지만,

다채로운 색감으로 나만의 작품을 완성시키면서
자유로운 상상으로 하늘을 나는 짜릿함은 덤으로 가져가시길 바랍니다.

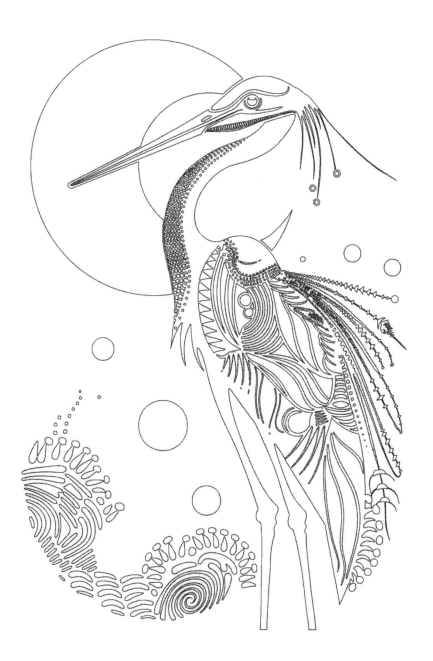

BIRD'S COLORING BOOK

발 행 | 2024년 6월 19일

저 자 | 소리비

펴낸이 | 한건희

펴낸곳 | 주식회사 부크크

출판사등록 | 2014.07.15(제2014-16호)

주 소 | 서울특별시 금천구 가산디지털1로 119 SK트윈타워 A동 305호

전 화 | 1670-8316

이메일 | info@bookk.co.kr

ISBN | 979-11-410-9025-8

www.bookk.co.kr

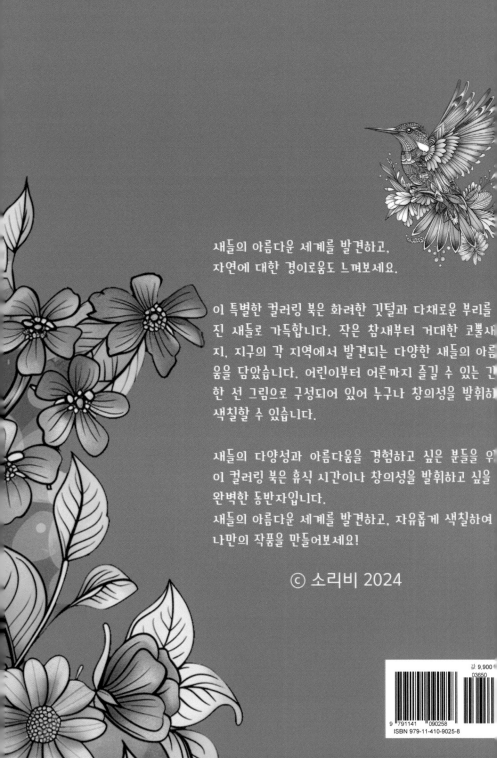

새들의 아름다운 세계를 발견하고,
자연에 대한 경이로움도 느껴보세요.

이 특별한 컬러링 북은 화려한 깃털과 다채로운 부리를
진 새들로 가득합니다. 작은 참새부터 거대한 코뿔사
지, 지구의 각 지역에서 발견되는 다양한 새들의 아름
움을 담았습니다. 어린이부터 어른까지 즐길 수 있는 간
한 선 그림으로 구성되어 있어 누구나 창의성을 발휘하
색칠할 수 있습니다.

새들의 다양성과 아름다움을 경험하고 싶은 분들을 위
이 컬러링 북은 휴식 시간이나 창의성을 발휘하고 싶을
완벽한 동반자입니다.
새들의 아름다운 세계를 발견하고, 자유롭게 색칠하여
나만의 작품을 만들어보세요!

© 소리비 2024

값 9,900
03650

9 791141 090258
ISBN 979-11-410-9025-8

내 사람들 에게

한미정 지음

BOOKK✎